Per a la meva àvia, Harriet, la primera artista que vaig conèixer
—L. M.

Per a Boreum, amb afecte
—T. Y.

Títol original *Strictly No Elephants*

Disseny Laurent Linn
Traducció Lluisa Moreno Llort
Coordinació de l'edició en llengua catalana
Cristina Rodríguez Fischer

Primera edició en llengua catalana, setembre de 2016
Reimpressió, gener de 2018

Carrer de les Alberes, 52, 2.°, Vallvidrera
08017 Barcelona
Tel. 93 205 40 00 e-mail info@blume.net

I.S.B.N.: 978-84-9801-942-1

Imprès a la Xina

WWW.BLUME.NET

Aquest llibre s'ha imprès sobre paper manufacturat amb matèria primera procedent
de boscos de gestió responsable. En la producció dels nostres llibres intentem,
amb el màxim esforç, complir amb els requisits mediambientals que promouen la conservació
i l'ús responsable dels boscos, especialment dels boscos primaris. Així mateix, per la nostra
preocupació pel planeta, intentem utilitzar al màxim els materials reciclats, i sol·licitem
als nostres proveïdors que facin servir materials, el procés de fabricació dels quals
estigui lliure de clor elemental (ECF) o de metalls pesants, entre d'altres.

El problema que té adoptar un elefantet com a animal de companyia és que la gent no ho veu amb bons ulls.

I és que ningú més no té un elefant a casa.

Cada dia trec a passejar el meu elefant.

Val a dir que és molt considerat, i per res del món
no deixaria que em mullés.

No li agraden gaire les esquerdes de la vorera.

Sempre l'he d'agafar a coll perquè passi.
Això és el que fan els amics: ajudar-se per poder saltar les esquerdes.

Avui acompanyo el meu elefantet al club del número 17. Hi celebren el Dia de les Mascotes, i tothom hi anirà.

—Au, vine. T'agradarà.

Els últims metres pràcticament l'he d'arrossegar.
—T'ho passaràs bé.

Però quan aixeco el cap,
veig un rètol a la porta.

PROHIBIDA
L'ENTRADA ALS
ELEFANTS

Ara és el meu elefantet el que pràcticament m'ha d'arrossegar pel carrer. Ni hi pensa, en les esquerdes.

Això és el que fan els amics: plantar cara a les coses que et fan por.

—Tu també has provat d'entrar a la festa del Club de les Mascotes? —demana la nena.

—Sí —responc—. Però no hi volen elefants.

—El rètol no deia res de mofetes —apunta la nena—, però tampoc volen que juguem amb ells.
—No els facis cas —li dic, per animar-la.

—Si no fa pudor —aclareix la nena.
—I tant que no —dic—. I si creem el nostre propi club?

—Vine —dic, assegurant-me
que el meu elefantet em segueix.
Perquè això és el que fan els amics:
no deixar mai sol ningú.

—Podem jugar aquí —diu un dels amics que acabem de fer.

—Tots junts.

Pintem el que serà
el nostre rètol.

El meu elefantet et guiarà si cal.